THE   A
COW   VACA
WENT   FOI
TO THE PRO
SWAMP BREJO

Ilustrações NANI
Apresentação Jô Soares

THE A
COW VACA
WENT FOI
TO THE PRO
SWAMP BREJO

COMPANHIA DAS LETRAS

Grafia atualizada segundo o Acordo Ortográfico da Língua Portuguesa de 1990, que entrou em vigor no Brasil em 2009.

Capa
Alceu Chiesorin Nunes

Preparação
Alexandre Boide

Revisão
Huendel Viana
Márcia Moura

Dados Internacionais de Catalogação na Publicação (CIP)
(Câmara Brasileira do Livro, SP, Brasil)

Fernandes, Millôr, 1924-2012.
    The cow went to the swamp = A vaca foi pro brejo / Millôr Fernandes ; apresentação Jô Soares ; ilustrações Nani. — 1ª ed. — São Paulo : Companhia das Letras, 2014.

    Edição bilíngue: inglês/português.
    ISBN 978-85-359-2436-7

    1. Humorismo brasileiro I. Soares, Jô.
II. Nani. III. Título: A vaca foi pro brejo.
IV. Título.

14-03651   CDD-869.97

Índice para catálogo sistemático:
1. Humor e sátira : Literatura brasileira 869.97

1ª reimpressão

[2014]
Todos os direitos desta edição reservados à
EDITORA SCHWARCZ S.A.
Rua Bandeira Paulista, 702, cj. 32
04532-002 — São Paulo — SP
Telefone: (11) 3707-3500
Fax: (11) 3707-3501
www.companhiadasletras.com.br
www.blogdacompanhia.com.br

THE COW WENT TO THE SWAMP

A VACA FOI PRO BREJO

Millôr. Difícil classificar, difícil escolher o que gostar mais: humorista implacável, desenhista, tradutor, autor, escritor. O seu nome já é um sinal de predestinação: registrado como Milton, devido a uma falha na caneta do escrivão, Milton virou Millôr. Só veio a descobrir o equívoco aos dezoito anos, quando foi tirar sua carteira de identidade.

Com ele descobri que o humor não tem limites e a insubordinação a qualquer forma de censura. Trabalhamos juntos em algumas ocasiões: no meu primeiro espetáculo solo, dirigindo sua peça *A história é uma istória* e juntamente com Luis Fernando Veríssimo no livro *O humor nos tempos do Collor*, mas o meu aprendizado se deu muito antes disso, logo que o conheci, nos papos em sua casa e no seu estúdio. Todo assunto era possível, todo riso era pouco.

A irreverência era o seu pão nosso de cada dia. Nada era intocável, nada era proibido. A maneira como percebia o ridículo inerente ao solene, como reinventava palavras ou maneiras de escrevê-las, pra mim, o verdadeiro mestre.

De tudo que aprendi com Millôr, o mais importante foi o que ele me disse quando dirigi sua peça e cortei um trecho do texto. Quando tentei explicar o motivo, ele me disse: "Não tem importância. Ninguém sente falta daquilo que não viu". Mesmo assim, sinto falta de tudo que não vi de Millôr.

Jô

This is a non-book. *That means, if it means anything, a book that does not merit a place on your bookshelf. In it we teach a kind of English to Englishmen to see, if you understand us. But, it's enough to look in the cover of this business to see that it treats itself as an honest* non. *We not only say that the cow went to the swamp. We taste that going behind the cow and catching it, or she (with a computer), into the swamp. People know; when we kill the snake, we always show the prick. But, of course, the cow enters as title of this* non-book *as Pilatos many centuries ago entered the Creed. To be more paragonic, as Pilatos in the moment in which he, too, went to the swamp in the roundnesses of the Golgotha. But of two most important things you will make yourself sure, sureissimo, when you read this non-work. First, that to read, write or talk English is fuck. Second, that if here you learned nothing of English, you learned much more about English than in any normal* yes-book. *To talk the truth, when you finish to read this* non-book *from point to point, you will be able to say, like Socrates (he too went to the swamp together of the* Now): "*I only know that I don't know any sperm of English. Decidedly, English for me is not Greek*".

Este é um *não-livro*. Isso quer dizer, se quer dizer alguma coisa, um livro que não merece um lugar na sua estante. Nele ensinamos uma espécie de inglês pra inglês ver, se é que você nos entende. Mas basta olhar pra capa deste negócio pra ver que se trata de um *non* honesto. Não apenas dizemos que a vaca foi pro brejo. Provamos isso indo atrás da vaca e pegando ela (com um computador), no brejo. O pessoal sabe; quando matamos a cobra nós sempre mostramos o pau. Mas, claro, a vaca entra como título deste *não-livro* como Pilatos, muitos séculos atrás, entrou no Credo. Pra ser mais comparativo, como Pilatos no momento em que, ele também, foi pro brejo nas redondezas do Gólgota. Mas de duas coisas muito importantes você pode ficar certo, certíssimo, quando ler este não-trabalho. Primeiro, que ler, escrever ou falar inglês é foda. Segundo, que se você aqui não aprendeu nada de inglês, aprendeu porém muito mais sobre inglês do que em qualquer *sim-livro* normal. Pra falar a verdade, quando você acabar de ler este *não-livro* de ponta a ponta, poderá dizer, como Sócrates (ele também foi pro brejo junto da Ágora): "Só sei que não sei porra alguma de inglês. Decididamente, inglês pra mim não é grego".

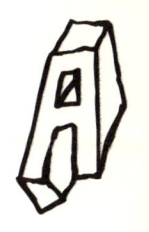

A bolsa *The stock market*
ou a vida *or the life*

A cobra *The snake*
está *is*
fumando *smoking*

A conversa ainda *The conversation*
não chegou na *didn't arrive in the*
privada *water closet yet*

A leite *Duck's*
de pato *milk way*

A maré
não está pra
peixe

The tide
is not for
fish

A vaca
foi pro
brejo

The cow
went to
the swamp

Abafar
a banca

To suffocate
the board

Abobado da
enchente

Flood
fooled

Abotoou
o paletó

He buttoned
his jacket

Abraço de
tamanduá

An anteater's
embrace

Acaba com
essa
papagaiada

Stop
that
parrotedness

Afinal
de contas

In the end
of calculations

Afogar
o ganso

*To drown
the goose*

Agora
é que
são elas

*Now
is that
they are they*

Água que
passarinho
não bebe

*Water that
the little bird
despises*

Agradar
a gregos
e troianos

*To please
Greeks
and Troyans*

Alguma coisa
pra beliscar

*Something
to pinch*

Ajoelhou,
tem que
rezar

He knelt down,
he has to
pray

Ali tem
caveira
de burro

Over there
there's a
donkey skull

Ali,
no duro

There,
in the hard

Almofadinha

Little cushion

Amigo
do alheio

Friend
of the alien

Analfabeto
de pai e mãe

Illiterate
of father and mother

Anda meio
escabreado

He walks half
ex-she-goated

Apanhou
como boi
ladrão

He was beaten
up as a
thieving ox

Arranhando
o violão

*Scratching
the guitar*

Arrebentar
a boca do
balão

*To blow up
the balloon's
mouth*

Arrotar
vantagens

*To belch
advantages*

Às folhas
tantas...

*At so many
leaves...*

Aspone   *Saaa*
(Assessor de porra   (*Sperm at all*
nenhuma)   *assessor*)

Assim   *This way*
ou assado   *or roasted*

Assobiar   *To whistle*
e chupar   *and suck sugar*
cana   *cane*

Até que   *Until that*
enfim!   *at last!*

Avacalhado   *Acowished*

Bacalhau de
porta de venda

*Door of grocery's
codfish*

Baixar
uma portaria

*To put down
a room of a doorkeeper*

Balançou a
roseira

*It shook the
rosebush*

Bananeira
que já deu
cacho

*Banana tree
which already gave
its bunch*

Bancou
o pato

*He banked
the duck*

Bancou
o trouxa

*He banked
the bundle of clothes*

Barra pesada   *Heavy hem*

Barriga   *The belly*
dando   *giving*
horas   *time*

Bater   *To beat*
as botas   *the boots*

Bateu com   *He beated*
a cabeça   *his head against*
na parede   *the wall*

Beijinho, beijinho,   *Kissy-kissy,*
tchau, tchau   *bye-bye*

Boca de siri   *Crab's mouth*

Bom pra   *Good for*
cachorro   *hounds*

Bombom   *Goodgood*

BOTAR AS MANGUINHAS DE FORA

Botar as manguinhas de fora — *To put the little mangos outside*

Botar banca — *To put a bank*

Botar pra quebrar — *To put to break*

Botar a boca no trombone   *To put the mouth in the trombone*

Botar a boca no mundo   *To put the mouth in the world*

Botar as barbas de molho   *To put the whiskers in gravy*

Botar panos quentes   *To put hot cloth*

Botou fogo na canjica   *He put fire in the dish made of grated green corn, sugar, coconut milk and cinnamon*

Brochar   *To brush down*

Cabra
da peste

Goat
of the plague

Caga regra *Shitter of rules*

Cagando e
andando

Shitting and
walking

Cagão *Big shitter*

Cagou
solenemente

He shitted
stately

Cair
pelas tabelas

To fall
by the tables

Cair pra
trás

*To fall
backwards*

Cair no
conto do vigário

*To fall in
the vicar's tale*

Caiu
de quatro

*He fell
in four*

Caiu
nas graças

*He fell
in the funs*

Camisa de força	*Shirt of strength*
Careca de saber	*Bald of knowing*
Carioca da gema	*Carioca of the egg's yolk*
Carro de praça	*A car of square*
Carteira de habilitação	*Wallet of fitness*
Casca grossa	*Thick bark*
Causou espécie	*It caused genus*
Chamar às falas	*To call to the talkings*

Chamar
urubu de
meu louro

*To call
a vulture
my blonde*

Chato
de galocha

*A crab
in galoshes*

Chegar de
fininho

*To come in
very slim*

Cheio de
nove horas

*Full of
nine o'clocks*

Chover
no molhado

*To rain
on the wet*

Choveu na
minha horta

*It rained in
my vegetable garden*

Chupar o ovo

To suck the egg

Chupou
minha
ideia

*He sucked
my
idea*

Colou na prova / *He glued on the exams*

Com as calças na mão / *With the pants in the hands*

Com quatro pedras na mão / *With four stones in the hand*

Com todos os efes e erres / *With all the ff and rr*

Com uma mão
na frente e
outra atrás

*With one hand
in front and the
other behind*

Comendo
pastel de brisa

*Eating
breeze pie*

Comer barriga

To eat belly

Comeu
de colher

*He ate
of spoon*

Comeu
mosca

*He ate
fly*

Comeu da
banda podre

*He ate of the
rotten side*

Comigo
é pão pão,
queijo queijo

*With me
it's bread bread,
cheese cheese*

Comigo não
tira farinha

*He won't take
flour with me*

Comigo não, violão *Not with me, guitar*

Como vai
essa força?

*How is
that strength going?*

Comprar por
atacado

*To buy by
assaulted*

Comprar
uma briga

*To buy
a fight*

Comprei uma
cômoda

I bought a
comfortable

Comprou
barulho

He bought
some uproar

Contar com o ovo
no cu da galinha

To count with the
egg in the hen's ass

Conversa
de cerca
Lourenço

Chat of
surrounding
Laurence

Conversa mole *Soft talk to put*
pra boi dormir *the ox asleep*

Conversa *Spun*
fiada *talking*

Conversa *Soft*
mole *chatter*

Conversa vai, *Talking goes,*
conversa vem *talking comes*

Cor de burro *The color of an ass*
quando foge *when running away*

Corrente de ar *Air chain*

Cortar um dobrado *To cut a double one*

Cozinhou em *He cooked in*
banho-maria *Mary's bath*

Cresça *Grow up*
e apareça *and appear*

Cu de bêbado *A drunkard's ass*
não tem dono *has no owner*

Custou-me os *It cost me the*
olhos da cara *eyes of the face*

Dar pra trás	*To give backwards*
Dar uma cabeçada	*To give a headful*
Dar uma colher de chá	*To give a spoon of tea*
Dar uma esticada	*To give a stretching*
Dar uma rata	*To give a female rat*
Dar um fora	*To give an outside*

De cabo *From cape*
a rabo   *to tail*

De cara   *With a*
lambida   *licked face*

Dedurar *To hardfinger*

Dê onde der *Give where gives*

Dei um   *I gave*
banho neles   *them a bath*

Deitou e *He lay down and*
rolou   *rolled up*

Deixa correr o marfim   *Let the ivory run*

Deixa estar, jacaré,   *Let it be, crocodile,*
que a lagoa   *the lagoon*
há de secar   *will dry*

Descer o malho	*To put down the mallet*
Desapertar pra esquerda	*To untie to the left*
Descascar um abacaxi	*To peel off a pineapple*

DESCER O MALHO

Descadeirado   *Unchaired*

Descolou   *He unglued*
uma grana   *some dough*

Desguiar   *To undrive*

Deslavada   *Unwashed*
sem-vergonhice   *unshamefulness*

Desovar um   *To unegg*
presunto   *a ham*

Deu em droga   *It gave in drug*

Deu murro   *He punched*
em ponta   *in the point of*
de faca   *the knife*

Deu no   *It gave in*
que deu   *what it gave*

Deu na
telha

*It gave in
the tile*

Deu no
mesmo

*It gave in the
same*

Deu nos
calcanhares

*He gave in the
heels*

Deu um
bolo danado

*It gave a
damned cake*

Deu uma
prensa nela

*He gave a
press on her*

Deu o golpe
do baú

*He gave the catch
of the chest*

Deu zebra

It gave zebra

Devagar com
a louça

*Easy with
the china*

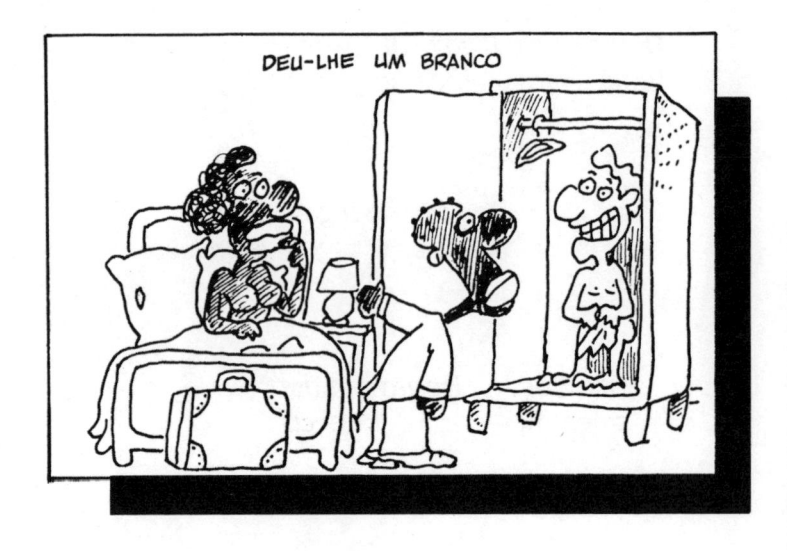

Deu-lhe *It gave him*
um branco *a white*

Devagar com o *Slowly with the*
andor que o *litter because the*
santo é de barro *saint is made of clay*

Dinheiro pra *Money for*
chuchu *chayote*

Do alto de *From the top*
suas tamancas *of his clogs*

Dobrar o cabo da
Boa Esperança

*To bend the Good
Hope handle*

Dormir
de touca

*To sleep
with a bonnet on*

Dormiu no
ponto

*He slept in
the stop*

Duro como um
corno

*Hard as a
cuckold*

É café-pequeno   *It's small-coffee*

É carne de   *It's of the*
pescoço   *neck's meat*

É cobra criada   *He's a pet snake*

É de   *It is of*
matar   *killing*

É do   *It's of*
cacete   *the stick*

É do   *It's the*
peru   *turkey's*

É do rabo   *It's the tail's*

É fogo   *It's fire*
na roupa   *in the clothes*

É COBRA CRIADA

É impagável   *He's unpayable*

                              É magro   *He's slim*
                              de ruim   *of bad*

E mandou ele   *And sent him of*
desta pra melhor   *this to a better one*

                              E no cu não   *And nothing goes*
                              vai nada?   *into the asshole?*

É o fino *It's the slim*

É o pai, cuspido *He's the father, spit*
e escarrado *and expectorated*

É os *It's*
colarinhos *the collars*

É pau pra *It's a prick*
toda obra *for all jobs*

É O PAI,
CUSPIDO E ESCARRADO

| É o meu padrinho | *He is my little priest* |

| É uma língua de trapo | *He's a tongue of shreds* |

| É um banana | *He's a banana* |

| É um malversador | *He is a bad poet* |

É um
vaselina

He is a
vaseline

É um cu pra
conferir

It's an asshole
to check

É um bom
copo

He's a good
glass

É um bom
garfo

He's a good
fork

É um babaca

He's a cunt

É um barato

It's a male cockroach

É um seca pimenteira

He's a pepper plant drier

É um tremendo
picareta

He is a trembling
pickax

É uma   *It's a*
marmelada   *marmalade*

           É uma   *It's a*
           baixaria   *clownery*

É tudo   *Everything is*
cascata   *a waterfall*

Edifício   *Swing-but-doesn't-fall*
balança-mas-não-cai   *building*

           Ela abriu   *She opened*
           o jogo   *the game*

Ela dá mais que   *She gives more than*
chuchu na serra   *chayote in the hill*

           Ela deixou cair   *She let it fall*

Ela deu a   *She gave the*
maior força   *greatest strength*

Ela deu   *She gave*
o contra   *the against*

Ela deu-lhe um   *She gave him a*
pé no rabo   *foot in the tail*

Ela é da   *She is of the*
pá virada   *turned shovel*

Ela é uma   *She is a*
cabeça de vento   *head of wind*

Ela entornou   *She poured out*
o caldo   *the broth*

Ela está só   *She is only*
fazendo fita   *making films*

Ela está com   *She is with*
a macaca   *the female monkey*

Ela está cadavérica   *She is corpselike*

Ela mandou brasa — *She sent embers*

Ela me fez uma das suas — *She made me one of hers*

Ela saiu do bar trocando as pernas — *She left the bar changing the legs*

Ela se arrumou — *She arranged herself*

ELA SAIU DO BAR TROCANDO AS PERNAS

Ela tem   *She has*
muita lábia   *much she-lips*

Ela tem cabelinho   *She has short hairs*
na venta   *in the nostril*

Ela é de menor   *She is of smallest*

Ela é uma besta quadrada   *She is a square beast*

ELA É DE MENOR

Ela é sapatão   *She's a big shoe*

Ela é meu   *She is my*
cacho   *bunch*

Ela é um pedaço   *She's a segment*
de mau caminho   *of bad road*

Ela é   *She's*
chave de cadeia   *a jail key*

Ela rasgou   *She ripped apart*
a fantasia   *the fancy dress*

Ela tem muitos   *She has many*
anos de janela   *years of window*

Ele deu em   *He gave*
cima dela   *upon her*

Ele deu um tiro   *He gave a shot*
na praça   *in the square*

Ele é um   *He is an*
mão-aberta   *open-hand*

Ele mora no cu   *He lives in the asshole*
da perua   *of the female turkey*

Ele não   *He doesn't*
regula bem   *regulate well*

Ele não passa recibo   *He doesn't pass receipt*
nem dá o troco   *nor gives the change*

Ele nasceu de   *He was born with the*
cu pra lua   *arse to the moon*

Ele pensa que   *He thinks a Jew's harp*
berimbau é gaita   *is a mouth-organ*

Ele quer é   *What he wants is a*
cartaz   *poster*

Ele se formou   *He shaped himself*

Ele tem peito   *He has chest*

Ele tem um   *He has a*
pistolão   *big pistol*

Ele tem uma   *He has a*
pinta braba   *savage dot*

Ele é pé de   *He's an ox*
boi   *foot*

Ele é um   *He is a*
boi de presépio *creche's ox*

Em cima do muro   *Upon the wall*

Em letras garrafais   *In bottlelike letters*

Em pé de   *In foot of*
guerra   *war*

Embananado   *Enbananaded*

Empacotou   *He packaged once*
de vez   *and for all*

Empatar foda	*To even the fuck*
Empurrando com a barriga	*Pushing with the belly*
Enfeitar o pavão	*To embellish the peacock*
Enforcar a sexta-feira	*To hang the Friday*
Engoliu um frango	*He gulped down a chicken*
Entrar pelo cano	*To go in through the pipeline*
Entrar bem	*To go in well*
Entrar de gaiato	*To enter as a funnyman*

Entrar | *To get into a*
numa fria | *cold one*

Entrar como Pilatos | *To go in as Pilatos*
no Credo | *in the Creed*

Entre! | *Between!*

Entregue às | *Given to the*
baratas | *cockroaches*

Entregou a | *He delivered the*
rapadura | *block of brown sugar*

Entregou de | *He delivered*
bandeja | *in a tray*

Escreveu, não leu, | *He wrote, didn't read,*
o pau comeu | *the stick ate*

Esporrento | *Spermfull*

Essa pequena é   *This small one is*
uma parada   *a stop*

Essa não,   *Not this one,*
violão   *guitar*

Esse cara   *This face*
é cobra   *is a snake*

Esse cara é   *This face is*
um garganta   *a throat*

Esse cara   *This face*
não tem remédio   *has no medicine*

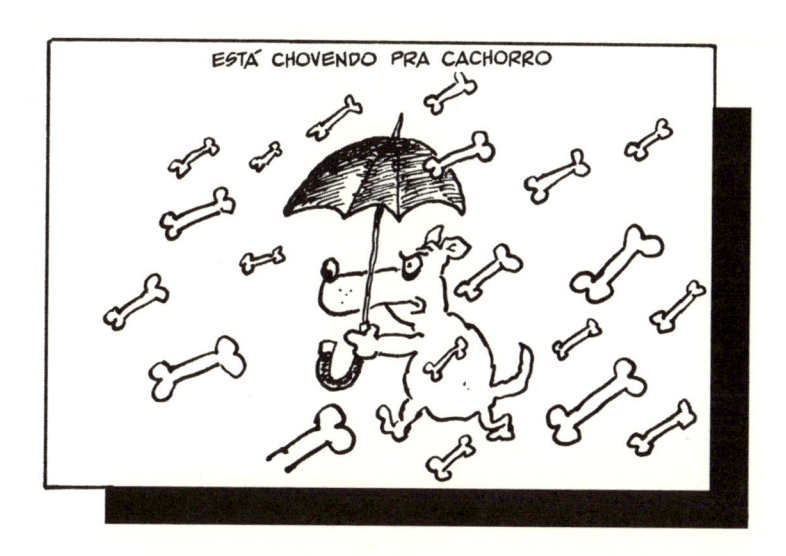

ESTÁ CHOVENDO PRA CACHORRO

Esse cara tá manjado · *This face is eaten*

Esse cara tem costas quentes · *This face has warm backs*

Esse é muito fichinha · *That one is much little chip*

Está chovendo pra cachorro · *It's raining for the dog*

Está na hora
da onça beber
água

It's time for
the jaguar to drink
some water

Está com a
pulga atrás
da orelha

He is with the
flea behind
the ear

Está com
bicho-carpinteiro

He is with the
woodworking-animal

ESTÁ COM A PULGA ATRÁS DA ORELHA

Está com tudo   *He is with everything*
e não está prosa   *and is not proud of himself*

Está com a   *He is with the*
cachorra   *bitch*

Está de   *He is with a*
caixa baixa   *down box*

Está com toda   *He has all*
a corda   *the rope*

Está de fogo   *He's in fire*

Está em estado   *She is in a*
interessante   *interesting state*

Está na   *He's in the*
última lona   *last canvas*

Está no mato   *He is in the wood*
sem cachorro   *without a dog*

Está procurando *He is searching*
um pé *for a foot*

Estar de *To have a*
saco cheio *full bag*

Estar por *To be in the*
dentro *inside*

Estar batendo pino	*To be hitting pins*
Estar frito	*To be fried*
Estar na maior sinuca	*To be in the biggest snooker*
Estar nas bocas	*To be in the mouths*
Este remédio é tiro e queda	*This medicine is shot and fall*
Esticou as canelas	*Stiffened the cinnamons*
Estou com os pés dormentes	*I'm with my feet sleeping*
Estou ferrado	*I'm ironed*

Estourar a   *To blow out*
boca de fumo   *the mouth of smoke*

Estupidamente   *Stupidly frozen*
gelada

Eu sou muito   *I'm much*
macho   *male*

Eu tô que tô   *I'm that I'm*

Fala várias *He talks several*
línguas *tongues*

Falar pelos *To talk through*
cotovelos *the elbows*

Falar pelas *To talk by*
tripas do Judas *the Judas guts*

Falei só da *I talked only from the*
boca pra fora *mouth to the outside*

Falou cobras *He spoke snakes*
e lagartos *and lizards*

Falou *He talked*
grosso *thick*

Falou por falar · *He talked for talking*

Falou de cadeira · *He talked of chair*

Família real · *Real family*

Farinha do mesmo saco · *Flour of the same bag*

Faturou a moça · *He invoiced the girl*

Fazendo cu-doce · *Making sweet-asshole*

Fazendo meia · *Making stockings*

Fazer bonito · *To make beautiful*

Fazer uma
barbeiragem
To make a
barberness

Fazer farol
To make lighthouse

Fazer vista
grossa
To make a
thick view

Fazer
de conta
To make
of bead

Fazer por
onde
To make by
where

Fazer pouco
caso
To do little
case

Fechou-se
em copas
He shut himself
in Hearts

Feio
de doer
Ugly
of aching

Feito nas   *Done in the*
coxas   *thighs*

Ferrovia   *Ironway*

Festa de   *Lullabying*
embalo   *party*

Fez barba   *He made beard*
e bigode   *and moustache*

Fez dele gato   *She made cat*
e sapato   *and shoe out of him*

Fez mal   *He made bad*
a ela   *to her*

Fez uma   *He made a*
cachorrada   *dogness*

Fica o dito   *Remains the told*
pelo não dito   *by the untold*

Ficar na   *To stay in*
moita   *the bush*

Ficou com   *He stood with*
cara de tacho   *a copper boiler face*

Ficou na   *He stayed in*
mão   *the hand*

Ficou a   *He stayed*
ver navios   *seeing ships*

Ficou besta   *He stood an ass*
de ver   *of seeing*

Ficou chupando   *He stayed sucking*
barata   *a cockroach*

Ficou entre a cruz   *He stood between the cross*
e a caldeirinha   *and the little melting pot*

Ficou só um   *He stayed only a*
quarto de hora   *room of hour*

FIQUEI DE ORELHA EM PÉ

Fiquei de orelha em pé	*I stayed with my ear standing*

Fizeram uma vaquinha	*They made a little cow*

Fodido e mal pago	*Fucked and badly paid*

Foi encanado	*He was impiped*

Foi pras   *He went to*
picas   *the pricks*

Foi um osso *It was a bone*

Foi uma briga   *It was a scythe fight*
de foice no escuro   *in the dark*

Fui-lhe ao   *I went to his*
focinho   *muzzle*

Fui tratado   *I was cared*
a pão de ló   *for with sponge cake*

Fulano   *So and so*
de tal   *of such*

Fulano dos anzóis   *What's-his-name of*
carapuça   *the hooks night cap*

Furar   *To make a hole on*
a fila   *the line*

Galinhagem   *Henishness*

Gastar vela com   *To spend candle with*
mau defunto   *a bad corpse*

Gastei   *I spent*
os tubos   *the tubes*

Gastou uma   *He spent a*
nota preta   *black note*

Gosto de   *Taste of*
cabo de guarda-chuva   *umbrella's handle*

Grilado   *Cricketful*

Inimigos figadais | *Liverish enemies*

Isso são outros quinhentos | *These are other five hundred*

ISSO SÃO OUTROS QUINHENTOS

Isso é   *This is*
perfumaria   *a perfume shop*

Isso é   *This is*
armação   *a frameness*

Isso é papel   *Is that a paper*
que se faça?   *to make?*

Já não está
aqui quem falou

*The one who
talked isn't here anymore*

Jantar à
la carte

*Dinner by
the map*

Jogada de
efeito

*Playing of
outcome*

Jogar a bola
na lagoa

*To throw the ball
on the lagoon*

Jogar confete

To throw confetti

Jogo de
cintura

*Game of
waist*

Jogou
com um pau
de dois bicos

He played
with a stick
of two beaks

Juntar a fome
com a vontade
de comer

To put the hunger
together with the desire
to eat

Já está
misturando
estação

He's already
mixing
stations

Ladrão de marca maior — *Thief of the biggest brand*

Ladrão pé de chinelo — *Slipper's foot burglar*

Levantou a lebre — *He raised the hare*

Levar um pescoção — *To take a big neck*

Levar uma bolacha — *To get a cream-cracker*

Levar uma bombada — *To take a pumpful*

Lavar a égua   *To wash the mare*

Levou uma ameixa   *He got a prune in*
na cuca e   *the head and*
apagou   *put out the light*

Levou na   *He took it in*
cabeça   *the head*

Língua morta *Dead tongue*

Liberou *Liberated*
geral *all around*

Louco *Fool*
de pedra *of stone*

Louco *Crazy*
de atar *to tie*

Macaco, olha
o teu rabo

*Monkey, look
unto your tail*

Mais por fora do que
umbigo de vedete

*More outside than a
show-girl's navel*

Mais pra lá
que pra cá

*More to that way
than to this*

Mais folgado
do que peido em
bombachas

*Looser than
a fart in a gaúcho's
knickerbockers*

Mandar brasa

To send embers

Manga de
colete

*A mango of
waistcoat*

Mano
a mano

Brother
to brother

Mão e
contramão

Hand and
againsthand

Mão única   *Only one hand*

Maracujá de gaveta   *Drawer passion fruit*

Marcou
bobeira

Marked
foolishness

Martelando
sempre o mesmo

Hammering
always the same thing

Mas com
efeito!

But with
result!

Mas é
muito folgado!

But he's
very loose!

Matando
cachorro a grito

Killing
dogs with screams

Matar
a aula

To kill
the class

Matar
no peito

To kill
in the breast

Matar a cobra e
mostrar o pau

To kill the snake and
show the prick

Me arranja uma
camisa de vênus

*Get me a
Venus shirt*

Me dá fogo *Give me fire*

Me deu água
pela barba

*It gave me water
by the beard*

Meio com um
pé atrás

*Half with one
foot behind*

Me deu um
trabalhão

*It gave me a
big work*

Me levou
no bico

*He took me
by the beak*

Me passou
a perna

*He passed me
the leg*

Me passou um
cheque voador

*He gave me a
flying check*

Me pegou de   *He caught me*
calças curtas   *in short pants*

Me pegou   *He took me*
pelo pé   *by the foot*

Me pisou   *He stepped in*
nos calos   *my corns*

Meter   *To put in*
bronca   *a stupid girl*

Meter o galho   *To put the branch*
dentro   *inside*

Meteu os pés   *He stuck his feet*
pelas mãos   *through his hands*

Meter-se   *To put himself*
num enrolo   *into a wrap up*

Meteu-se em   *He thrust himself in a*
camisa de onze varas   *shirt of eleven rods*

Metido
em maus lençóis

*To be
in bad bed sheets*

Meu amigo de
cama e mesa

*My friend of
bed and table*

Meu amigo
do peito

*My friend
of the chest*

Minha cara-
-metade

*My expensive-
-half*

MINHA CARA METADE

Misturar alhos
com bugalhos

*To mix garlic
with eyeballs*

Molhar o
biscoito

*To wet the
cookie*

Montado
na erva

*He's mounted
in the grass*

Morar na
jogada

*To live in
the game*

Mordeu-se
de inveja

*He bit himself
of envy*

Morri na
despesa

*I died in the
expense*

Muito cacique
pra pouco índio

*Too many big-chiefs
for few indians*

Muito
cômoda

*Very
chest of drawers*

Não boto azeitona na empada de ninguém

I don't put olives into anyone's patty

Nariz de cera

A nose of wax

Nascer de cu pra lua

To be born with the ass to the moon

Não apita nada

He doesn't whistle anything

Não bate bem da bola

He doesn't beat well of the ball

Não cabe em si

He doesn't fit inside himself

No cu,
pardal!

Up the ass,
sparrow!

Não dar
nem bola

Don't even
give ball

Não dar no
couro

Don't give in
the leather

Não dou o
braço a torcer

I won't give my
arm to twist

NÃO CAGA NEM DESOCUPA A MOITA

Não caga nem
desocupa a moita

*Won't shit nor
vacate the bush*

Não estou
nem aí

*I'm not
even there*

Não entendeu
porra nenhuma

*Didn't understand
any sperm*

Não está
no gibi

*It is not in
the comics*

Não fede   *He doesn't stink*
nem cheira   *nor smells*

Não fode   *Doesn't screw*
nem sai de cima   *nor step down*

Não falar coisa   *Do not talk thing*
com coisa   *with thing*

Não faz   *Don't make*
onda   *wave*

Não me fala   *It doesn 't talk*
ao pau   *to my dick*

Não me venhas de   *Don't you come with*
borzeguins ao leito   *buskins to the bed*

Não pentelha   *Don't pubic hair*

Não pegou o   *He didn't catch the*
espírito da coisa   *spirit of the thing*

Não passa *He won't pass*
a peteca *the shuttlecock*

Não pode ver *He can't see*
rabo de saia *a tail of skirt*

Não pescar *Do not fish*
o assunto *the subject*

Não preguei *I didn't nail*
o olho *an eye*

Não sabe da
missa a metade   *He doesn't know*
                 half of the mass

Não se deu por   *He didn't give himself*
achado   *as found*

Não tem   *He has no*
mãos a medir   *hands to measure*

Não ter   *Having no*
ombridade   *shoulderty*

Não ter papas   *Not having any popes*
na língua   *in the language*

Não vem que *Don't come that*
não tem   *there is not*

Não te gabo *I don't praise*
o gosto   *your taste*

Não vai lá *He goes not there*
das pernas   *from the legs*

Não vai lá   *Don't go there*
que jacaré   *that the crocodile*
te abraça   *will embrace you*

Não é mole *It isn't soft*

Ela não é flor *She is not a flower*
que se cheire   *to be smelled*

Não é lá muito *He is not much*
católico   *catholic there*

Não é pro *It's not for*
teu bico *your beak*

Nos cornos *In the cuckolds*
da lua *of the moon*

Nunca o vi *I never saw*
mais gordo *him fatter*

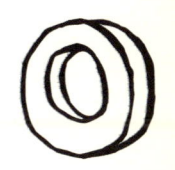

O arrasta-pé terminou
num bate-boca

*The drag-foot finished
in a beat-mouth*

O bom
cabrito não
berra

*The good
goat doesn't
scream*

O bom-cabelo *The good-hair*

O disse-me-disse *The said-me-said*

O distinto *The distinguished*
aí! *one over there!*

O fim da *The end of*
picada *the snake-bite*

O pai dos *The father of*
burros *the asses*

O pau comeu *The prick ate*

O que é que há *What's the matter*
com o teu peru? *with your turkey?*

O que tem o cu *What does the asshole have to do*
com as calças? *with the pants?*

O que cai na
rede é peixe

*What falls into
the net is fish*

O sol tá
de rachar

*The sun is
of splitting*

Onde o diabo
perdeu as botas

*Where the devil
lost his boots*

Ou dá ou
desce

*Whether you give or
get down*

Paca   *To'pr*

Pagar   *To pay*
o pato   *the duck*

Pagou   *He paid*
50 pilhas   *50 batteries*

Pagou pela   *He paid for his*
própria língua   *own language*

Papo furado   *Holed pouch*

Parei   *I stop'd*
contigo   *with you*

PAGAR O PATO

CAIXA

Partir pro pau	*To leave to the stick*

Partir pra ignorância	*To leave for the ignorance*

Passar uma cantada	*To send a singing*

Passou a vara nela	*He passed the stick in her*

Passar   *To pass*
o beiço   *the big lip*

Passou   *He ironed*
um pito   *a pipe*

Pau-d'água   *Water-wood*

Pau de arara   *Macaw stick*

Pedir   *To ask for*
o boné   *the bonnet*

Pegar o bonde   *To get the streetcar*
andando   *rolling*

Pegar um   *To get a*
pepino pela   *cucumber by*
proa   *the prow*

Pegar um   *To hold a*
rabo de   *tail of*
foguete   *a skyrocket*

Pegou o   *He took the*
bonde errado   *wrong tramway*

Pela madrugada!   *By the dawn!*

Pele de pica   *Skin of prick*

Pensando   *Thinking a*
morreu um burro   *donkey died*

Perder   *To lose*
o burro   *the donkey*

Perdeu a   *He lost the*
esportiva   *sportiveness*

Perder as   *To lose the*
estribeiras   *stirrups*

Perdeu   *He tost*
a bossa   *the hunch*

Perdeu   *He lost*
o rebolado   *the shake of the hips*

Pernas, pra que   *Legs, what do*
te quero?   *I want you for*

Picar   *To sting*
a mula   *the she-mule*

Pêssego salta-caroço   *Jump stone peach*

Pimenta no
cu dos outros é
refresco

Pepper in
other people's asshole is
a refreshment

Pintar
o sete

To paint
the seven

Pintou
sujeira

It painted
dirtiness

Pintou
numa boa

He painted
in a good one

Pintou o   *He painted the*
caneco   *mug*

Pintou   *He painted*
o diabo   *the devil*

Pisar   *To step*
na bola   *on the ball*

Pobre vive   *The poor lives*
de teimoso   *of hard-headed*

Por cima   *Above*
da carne-seca   *the dried-meat*

Porra-louca   *Crazy-sperm*

Posta-restante   *The last slice of fish*

Pra enganar   *To cheat*
o estômago   *the stomach*

Pra quem é, *For one like him,*
bacalhau basta *codfish is enough*

Procurador da *Searcher of*
República *the Republic*

Puto *He-whore*
da vida *of life*

Puxa-saco *Pull-bag*

Puxar a brasa pra *To pull the ember to*
sua sardinha *your sardine*

Pé de valsa *Waltz's foot*

Pé-frio *Cold-foot*

Pé-rapado *Shaved-foot*

Que apito
ele toca?

What whistle'does
he play?

Quebra-galho

Branch-breaker

Quebrou
o encanto

He broke
the charm

Quem tem
cu tem medo

He who has an
asshole has fear

Quem mandou?

Who sent?

Quem me
dera!

Who would
give me!

Reclamar
de barriga cheia

*Complaining
with a full stomach*

Rodar a
baiana

*To whirl the
old woman from Bahia*

RODAR A BAIANA

Registrar *To record*
no hotel *in the hotel*

Rente que nem *Close as*
pão quente *hot bread*

Retratou-se *He pictured himself*

Rosto cheio *A face full*
de pés de galinha *of hen's feet*

ROSTO CHEIO DE PÉS DE GALINHA

Rir a
bandeiras despregadas

*To laugh
to the unnailed flags*

Roendo beira
de pinico

*Chewing the edge
of a chamber pot*

Roeu
a corda

*He chewed
the rope*

Sacudir o *To shake the*
esqueleto *skeleton*

Saiu à *He went away the*
francesa *French woman's way*

Saiu cuspindo *He went out spitting*
marimbondo *wasp*

Saiu de *He went out as*
fininho *a little thin*

Saiu *He went out*
do sério *of the earnest*

Sangria desatada *Untied bleeding*

Santinho   *Little saint*
de pau oco   *of hollow wood*

Sebo   *Grease*
nas canelas   *in the cinnamons*

São carne   *They are flesh*
e unha   *and nail*

São a corda   *They are the rope*
e a caçamba   *and the bucket*

Se der bolo, eu   *If it gives cake, I*
tiro o corpo fora   *take my body out*

Se fosse cobra   *If it were a snake*
me mordia   *it would bite me*

Se foder de verde   *To get fucked in green*
e amarelo   *and yellow*

Se mancou   *He limped himself*

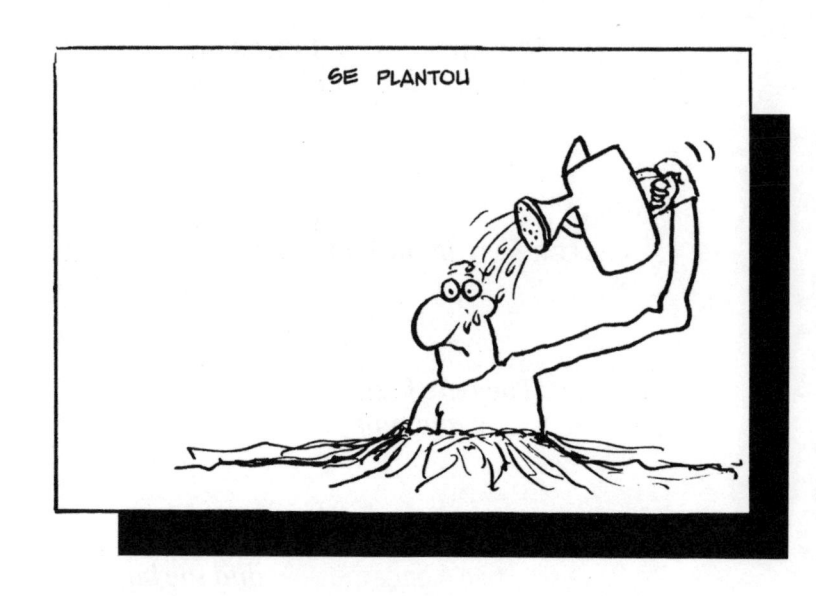

Se plantou *He planted himself*

Sem dizer *Without saying*
água-vai *there-goes-water*

Sem mais *Whithout more*
aquela *that one*

Senta que o leão *Sit that the lion*
é manso *is tame*

Senti firmeza	*I felt firmness*
Ser bigodeado	*To be moustached*
Só falam abobrinhas	*They only talk little pumpkins*
Sossega, leão	*Calm down, lion*

SÓ FALAM ABOBRINHAS

Subir pelas paredes *To walk up the walls*

Sujeito muito escovado *Much brushed up subject*

Sumiu de circulação *He vanished from circulation*

Surdo feito uma porta *Deaf as a door*

Tá como   *It's as*
o diabo gosta   *the devil likes*

Tá   *He's*
lascado   *cracked*

Tá puxando *He's pulling*
fumo   *smoke*

Tá ruço *It's Sovietic*

Tanto se me dá   *It gives me*
quanto se me deu! *as much as it gave me*

Tem culpa no *He has guilt in the*
cartório   *notary's office*

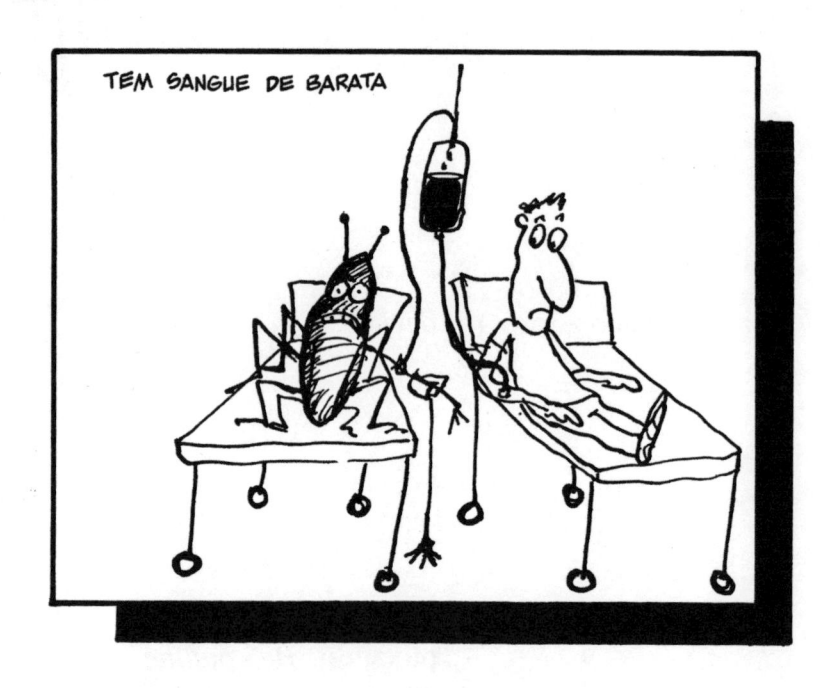

Tem | *He has*
sangue de barata | *cockroach blood*

Tem uma bela | *He has a beautiful*
estampa | *print*

Ter um | *To be*
um parafuso a menos | *missing a screw*

Ter um
ar emproado
*Having a
prowish air*

Testa de ferro
Iron forehead

Teve um
estalo
*He had a
crack*

Tipo escolado
Schooled type

Tirar a barriga
da miséria
*To take the belly
from the wretchedness*

Tirar uma
casquinha
*Take a
little peel*

Tirar de
letra
*To take of
letter*

Tirar
um sarro
*To take
a tartar*

| Tirar o | *To take out the* |
| atraso | *lateness* |

| Tirar o | *To take the* |
| cavalinho da chuva | *little horse out of the rain* |

Tirei meu	*I took my*
time de	*team off*
campo	*the countryside*

TIREI MEU TIME DE CAMPO

CIDADE

Tirar uma / *To take an*
pestana / *eyelash*

Tirar / *To take*
na pinta / *in the dot*

Tirou o cu / *Took his ass off*
da reta / *the straight line*

Tomada de / *Plug of*
posição / *position*

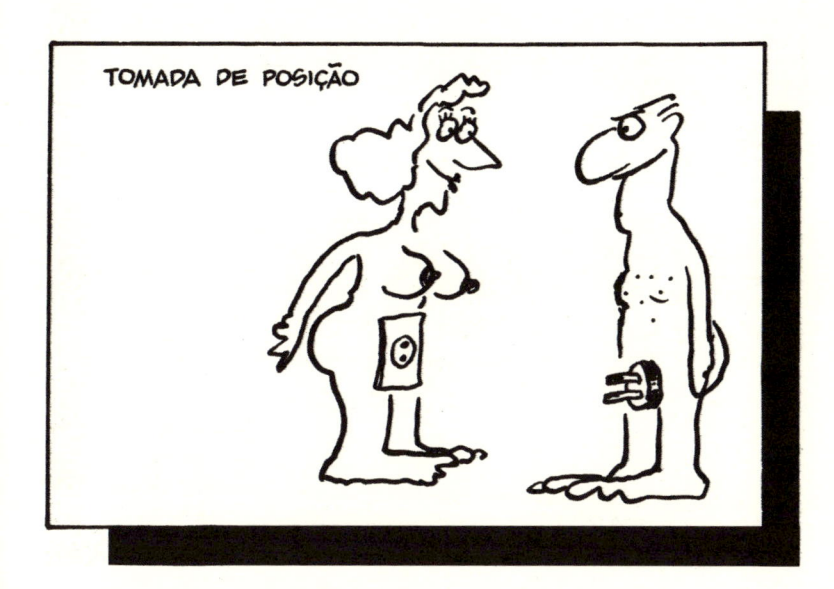

TOMADA DE POSIÇÃO

Tocar no
assunto
*To play on the
subject*

Toda araruta tem
seu dia de mingau
*Every fecula has
its day of porridge*

Tomar um
banho de loja
*To have a
bath of shopping*

Topar
uma parada
*To stumble
a stop*

Torrar o saco
To toast the bag

Tou duro
I'm hard

Trem de cozinha
Kitchen train

Tremenda
mão na roda
*Trembling
hand in the wheel*

Tremendo   *Staggering*
troca-troca   *change-change*

Tu vai ver o   *You're gonna see the*
sol nascer quadrado   *sun born square*

Tudo pela hora   *Everything by the time*
da morte   *of the death*

Um água morna *He's a tepid water*

Um armazém *A storehouse*
de pancadas *of beatings*

Um belo *A nice*
concerto *repair*

Um dedo *One finger*
de prosa *of pride*

Um frio *A cold*
de cão *of hound*

Um letrado *A letterful one*

Um pneu careca   *A bald tire*

Um puta   *A bitch*
bate-coxa   *beat-thigh*

Um pé   *A foot in*
no saco   *the bag*

Um sujeito reservado   *A spared subject*

Uma Maria vai   *A Mary that goes*
com as outras   *with the others*

Uma barbada   *A bearded lady*

Uma camisa de   *A shirt of*
onze varas   *eleven rods*

Uma obra-prima   *A cousin-work*

Uma pá de coisas	*A spade of things*

Unha de fome	*Nail of hunger*

Uns gatos-pingados	*Some dropped-cats*

UNS GATOS PINGADOS

Vá pentear
macaco!   *Go comb
a monkey!*

Vá plantar
batatas!   *Go to grow
potatoes!*

Vai plantar
favas!   *Go to plant
broad beans!*

Vacilou, dançou   *Hesitated, danced*

Vai nessa   *Go in that one*

Vai pregar
noutra
freguesia   *Go nail in
another
customery*

Vai que *Go that*
dá *gives*

Vai que *Go that it*
é mole *is soft*

Vamos às *Let's go to*
falas *the talkings*

Vamos botar isso *Let's put this*
em pratos limpos *in clean dishes*

Vamos fazer *Let's make*
uma boquinha *a little mouth*

Vamos molhar *Let's wet*
a goela *the throat*

Vamos picando *Let's go chopping*
a mula *the venereal disease*

Vamos ver *Let's see*
que bicho dá *which animal gives*

Vê se te manca *See if it makes you limp*

Vendo urubu *Seeing vultures*
voando de costas *flying on their backs*

Vestir *To dress*
pijama de madeira *the wooden pajamas*

Viajar no *To journey in*
pau de arara *the branch of the macaw*

Virar *To change*
zona *into a red-light district*

Virar o fio *To turn the thread*

Vou encher *I'm filling up*
a caveira *the skull*

Vou exemplar o *I'll example the*
cara *expensive one*

Voltando
à vaca fria

*Coming back
to the cold cow*

Vou fazer
a cama dele

*I'll make
his bed*

VOU FAZER A CAMA DELE

Deveres de casa
Traduza as seguintes frases:

When he came with that pouch of taking something by outdoors for freeing the scraps I answered that I only introduced myself into rain-senders, never into sent-sticks.
Quando ele veio com aquele papo de levar algum por fora pra soltar o bagulho, respondi que só me meto com mandachuvas, nunca com paus-mandados.

He is a stick for any kind of work but talks by the Judas guts, is always trying to make light house and finishes breaking his face.
Ele é pau pra toda obra mas fala pelas tripas do Judas, está sempre fazendo farol e acaba quebrando a cara.

I walked halfembananaded with the face and decided to call him to the talkings but he put the mouth in the world, left for the ignorance, and I went through the pipeline.
Eu andava meio embananado com o cara e resolvi chamar ele às falas, mas ele botou a boca no mundo, partiu pra ignorância e eu entrei pelo cano.

Translate to english the following phrases:

Ele bancou o trouxa comigo porque quis me passar pra trás e, não morando na jogada, se fudeu em copas.

He banked the bundle of clothes with me because he wanted to pass me backwards and, doesn't living in the gambling, fucked himself in hearts.

Ela pintou lá em casa, numa boa, mas quando eu dei em cima dela, ela perdeu a esportiva, rodou a baiana e me disse pra tirar o cavalinho da chuva.

She painted in my house in a good one, but when I gave over her she lost the sportiveness, whirled the old woman from Bahia and told me to take the little horse out of the rain.

Ele disse que o figuraço era liga dele, chapinha mesmo. Eu aí soltei o tutu porque morei que se não topasse me fodia em copas.

He said that the big-figure was his garter, even his little plate. I there liberated the dish made of black beans and manioc flour because I dwelt that if I didn't stumble I would fuck myself up in hearts.

1ª EDIÇÃO [2014] 1 reimpressão

Esta obra foi composta em Guardian TextEgyp por
Alceu Chiesorin Nunes e impressa em ofsete pela Geográfica
sobre papel Pólen Bold da Suzano Papel e Celulose para
a Editora Schwarcz em agosto de 2014